Alain Surget

San Ionsaí
ar Veracruz

LEABHAR
BREAC

Caibidil I

An Deirfiúr Mhór

Thart ar an mbliain 1660, i Murascaill Mheicsiceo, amach ó Veracruz.

Chuaigh mairnéalach i gcéin
I mbád breá groí.
Trí bhláth gar dá chroí,
Agus ar a ghualainn, a pheata éin.
B'in é a thaisce is a stó-ó-ór
agus é in ísle brí.
Trí bhláth gar dá chroí,
Agus ar a cheann, hata mó-ó-ór.

Bhí an oíche tite ar an bhfarraige. Le solas na gealaí tháinig dath an bhainne ar an sáile agus, le cósta, ardaíodh múr ceo. Ní raibh solas ar bith sa bhforaois dhubh a shín leis an Murascaill. Faoi bhratach na Spáinne, sheol an *Fantasque* le cósta, gach solas múchta. Ba chosúil le héan mór dubh í ag sleamhnú go ciúin éadrom ar an uisce. Bhí Benjamin agus Louise Bheag ina suí ar charnán rópaí, a ndroim leis an gcrann seoil.

'*Chuaigh mairnéalach i gcéin....*'

Le sonc sna heasnacha chuir Louise Bheag a deartháir ina thost.

'Céard atá ort? Nach bhfuil cead amhrán a rá?'

'Sin é an ceathrú huair duit an seanamhrán céanna sin a rá.'

'Agus más ea féin? Níl agam ach an t-aon amhrán amháin … agus is é Deaide a mhúin dom é.'

'Nach fearr duit a bheith ag iarraidh cuimhneamh ar sheift éigin lena thabhairt as an bpríosún i Veracruz?' a d'fhreagair a dheirfiúr.

Lig Benjamin osna as. 'Gach uile uair a cheapaimid go bhfuil Deaide aimsithe againn imíonn sé arís.'

'Cé a cheapfadh go mbéarfadh na Spáinnigh air agus é ar thóir ór na Maigheach sa dufair!'

'Ní hamháin gur cailleadh a long agus cuid mhaith dá chriú, ach gur cailleadh Parabas agus na mairnéalaigh a bhí ag iarraidh é a thabhairt saor!'

'Murach Marie Dhearg bheadh muid féin i ngreim acu!'

'B'in an chéad uair a rinne sí rud ar bith ar mhaithe linn. Meas tú céard air a bhfuil sí ag cuimhneamh?'

Bhí Marie Dhearg le feiceáil faoi sholas na gealaí agus í cromtha os cionn slat bhoird na loinge.

'Chaithfeadh sé go bhfuil sí ag smaoineamh ar an gcaoi a ndéanfaidh sí an t-ionsaí,' a dúirt Benjamin leis féin. 'Mura bhfuil sí ag cuimhneamh ar an gcaoi a gcaithfidh sí an t-airgead nuair a bheidh an t-órchiste aimsithe aici.'

Thug Louise Bheag croitheadh dá guaillí. 'Ní aimseoidh sí an t-ór go mbeidh an tatú atá ar ghualainn Dheaide feicthe aici, agus ní dóigh liom go dtaispeánfaidh sé di é.'

'Ná mise. Ba bhreá liom súil a chaitheamh ar an gcuid sin den léarscáil nach bhfuil ar ár dtatú féin. Ní thuigim fós cén fáth ar chuir sé leath na léarscáile ar a dhroim féin, agus an ceathrú cuid den léarscáil chéanna ar gach aon duine den bheirt againne, agus an dá cheathrú céanna ar Mharie Dhearg.'

'Mura bhfuil ó Mharie Dhearg i ndáiríre ach an t-órchiste, úsáidfidh sí an lámh láidir le teacht air.'

'Ach ní mharódh sí é?' a dúirt Benjamin agus é ag fuarchaoineachán.

Chrom Louise Bheag a ceann gar dá deartháir. 'Caithfimid an deirfiúr mhór a choinneáil i ngar dúinn.'

Leis sin, d'éirigh sí agus chuaigh sí anonn chomh fada le Marie Dhearg. Lean Benjamin í. D'fhan an triúr ina dtost agus iad ag breathnú amach ar an bhfarraige.

'Is í bhur máthair a mhúin an t-amhrán sin daoibh, nach í?' a d'fhiafraigh Marie Dhearg díobh.

'Chanadh sí dúinn é sa Fhrainc,' a d'fhreagair Benjamin go mórtasach. 'Is é Deaide a chum é.'

'Tá a fhios agam,' a dúirt Marie. 'Chanadh mo mháthair an t-amhrán céanna dom nuair a bhí mé i mo pháiste.'

'Á,' a deir Benjamin, agus díomá air lena athair a d'fhág an t-amhrán céanna ar dhá thaobh na farraige.

D'airigh Louise Bheag an míshásamh i nglór a deartháir. 'Dár ndóigh,' ar sí. 'Nach é athair an triúir againn é.'

'Na trí bhláth san amhrán,' a dúirt Marie.

'Tá an ceart agat,' a dúirt Benjamin. Níor chuimh-
nigh sé air sin roimhe sin.

'Mar sin, an raibh hata mór aige agus éan?'

Chroith Marie a guaillí, ag tabhairt le fios dóibh
nach raibh a fhios aici. 'Bhíodh tricorn mór gránna
air, agus a dhá phiostal.'

Bhí tost ann sular labhair Louise Bheag arís. 'An
inseoidh tú dúinn faoi Dheaide?'

'Ní inseoidh. Níl mé ag iarraidh an t-achar gearr
a bhí agam leis a roinnt libhse.'

Bhain an freagra siar go mór as an gcúpla.

'Nílimid ag iarraidh do chuid cuimhní a bhaint
díot,' a dúirt Benjamin. 'Ach an uair dheireanach go
bhfaca tú é....'

'Thug sé an *Fantasque* dom! Slúpa a bhain sé de
na hOllannaigh. Bád maith í le seoladh sna hoileáin
ach tá sí ró-éadrom le haghaidh a thabhairt ar
ghaileon Spáinneach i lár na farraige.'

'Nuair a shaorfaimid Deaide,' a d'fhógair Louise
Bheag, 'beidh bád nua uainn. B'fhéidir go bhfaigh-
imid ceann sa chaladh. Briogaintín nó frigéad.'

'Nuair a bheidh Deaide saor tá mé lena chur i dtír

ar oileán beag tréigthe agus é a fhágáil ann,' a d'fhógair Marie Dhearg agus a dorn á bualadh anuas ar an tslat bhoird aici. 'Sin a bhfuil tuillte aige tar éis dó muid a thréigean.'

'Ach ní dhéanfá é sin?' a dúirt Benjamin.

'Agus sibhse in éineacht leis!' Dhírigh sí aníos. 'Níl mé bhur n-iarraidh ar mo bhád-sa. Níl muinín agam as aon duine ach as m'uncail agus as Malibu. M'anam go bhfuil aiféala ar Dheaide gur chuir sé muinín i bParabas.'

'Tá an ceart agat,' a dúirt Louise Bheag. 'Is é Roger de Parabas a thug ar láimh do na Sasanaigh é.'

'Agus ghoid an bacach sin uaidh!' a dúirt Marie.

'Ó? Céard a thóg sé uaidh?'

'Ní bheidh a fhios againn go deo anois! Fiú agus Parabas caillte ní labhróidh Deaide air sin le duine ar bith.'

'Ní "daoine ar bith" muidne,' a dúirt Benjamin.

'Nach bhfuil a fhios sin agam!' a dúirt Marie, agus bhuail sí flíp dá méar sa smig air. 'A chodladh libh anois!'

D'iompaigh sí a droim leo agus d'imigh sí chun

cainte lena huncail Tepos, an tIndiach a bhí ina sheasamh ag an roth.

'Ní maith le Marie muid,' a dúirt Benjamin.

'Níos measa ná sin,' a dúirt Louise Bheag. 'Is namhaid dúinn í. Ach má cheapann sí go bhfaighidh sí réidh linne agus le Deaide tá dul amú uirthi!'

Na Totonaigh

Thit meall cleití ón rigín agus thuirling ar ghualainn Bhenjamin.

'Muise, a diabhail!' a dúirt Louise Bheag léi féin agus í ag breathnú ar an bpearóid. 'Bíonn sé de shíor ag éisteacht lena bhfuil á rá!'

'Tá dul amú uirrrthi, Marrrie Dhearrrg! Tá dul amú uirrrthi, in ainm Chrrroim!'

'Dún do ghob, thusa,' a dúirt Benjamin go crosta agus bhain sé greim as a gob.

'Rrrrrú!'

Go tobann ligeadh fead ar an deic dheiridh — ceann de na comharthaí a thugtaí don chriú. Gan focal, dhoirt na foghlaithe mara aníos faoin deic. Dheifrigh an máta mór dubh, Malibu, anonn chuig Marie Dhearg.

'Céard atá ag tarlú?' a d'fhiafraigh Louise Bheag. 'An bhfuilimid tagtha chomh fada le Veracruz? An bhfuil na gunnaí móra le lochtú? Nó an bhfuilimid ag dul san ionsaí? In ainm Dé, an dtabharfaidh duine éigin claíomh dom le go múinfidh mé béasa do na Spáinnigh bhréana!'

Bhí fir ag dul soir agus siar thairsti beag beann ar a cuid cainte.

'Táimse freisin in ann troid!' a d'fhógair sí agus í ag iarraidh breith ar ghreim láimhe ar dhuine de na fir a bhí ag deifriú thairsti.

'Níl aon mhaith duit ann,' a dúirt Benjamin.

Lig Louise Bheag osna aisti. 'An é go bhfuil siad bodhar!'

Faoi cheannas Mhalibu, chuaigh na fir i mbun oibre. Chuaigh siad in airde sna sciútaí, dhreap siad amach ar na slata seoil, agus chrap siad aníos na seolta móra. Níor fhan crochta ach na seolta uachtaracha. Ansin, fad is a bhí an píolóta ag tabhairt thart an bháid, bhí fir eile ag casadh na seolta sa ghaoth. Mhoilligh an bád.

'Táimid ag teannadh leis an gcósta,' a dúirt

Benjamin. 'Ach ní fheicim aon solas. Ní dóigh liom go bhfuilimid i ngar do Veracruz.'

Le gaoth bhog ina cuid seolta, ghluais an *Fantasque* chun cinn go mall. Ní raibh sí ach fad chábla amach ón gcósta. Bhí Marie agus a huncail buailte suas ar an tslat bhoird agus an dufair dhorcha dhlúth á scrúdú go géar acu. Sheas an cúpla lena dtaobh.

'Nach ndúirt mé libh imeacht,' arsa Marie.

'Tá mo leaba luascáin stróicthe,' a dúirt Benjamin. 'Thit mé amach aisti.'

'Níl mise in ann codladh leis an mboladh allais. Beidh mé níos fearr ar an deic.'

'Dá mba mise sibhse,' a dúirt Marie, 'ní....'

'Sin iad iad!' a dúirt Tepos.

Bhioraigh na hógánaigh a gcuid súl, ach ní fhaca siad dada.

'Cé hiad?' a d'fhiafraigh Louise Bheag.

D'airigh sí corraíl éigin taobh thiar di. Bhí an criú luite fúthu ar an deic, claimhte agus piostail faoi réir.

'Ná corraíodh duine ar bith orlach,' a d'ordaigh Tepos, 'nó go dtabharfaidh mise an t-ordú!'

'An bhfeiceann tú rud éigin?' a d'fhiafraigh Louise Bheag dá deartháir.

'Dada ar bith beo,' a d'fhreagair sé. 'Éist! Cloisim rud éigin!'

Chuir Louise Bheag cluas uirthi féin ach níor chuala sí ach slapairneach beag uisce. Chuimhnigh sí ar thorann na dtonn ach mheas sí go raibh rithim na fuaime seo níos sciobtha ná briseadh tonntracha beaga ar an gcladach. 'Shilfeá go raibh an t-uisce á bhualadh le rud éigin?'

D'éirigh scáilí ar bharr an uisce. Os a cionn, bhí na seolta uachtaracha á gcrapadh isteach agus an bád beagnach stoptha ag gluaiseacht. Ar an bhfarraige, bhí sí in ann sleánna a fheiceáil ag gobadh aníos as curacha.

'Tá tú cinnte gur Totonaigh iad?' a d'fhiafraigh Marie de Thepos.

Chroith Tepos a cheann, ag tabhairt le fios go raibh, ansin rinne sé torann éin lena bhéal. Ar an bpointe chualathas torann na sleánna ó na curacha. Bhí teipthe ar an ionsaí. D'éirigh na gaiscígh ina seasamh, sleánna agus saighid á mbagairt acu.

'Bhfuil Tecali in bhur measc? An bhfuil mo chol ceathrar Tecali in bhur measc?' a ghlaoigh Tepos i dteanga na dTotonach.

Tugadh ordú ar cheann de na curacha. Stop na hIndiaigh ag iomramh. Shuigh siad ar a ngogaide arís, cé is moite de dhuine amháin a d'fhan ina sheasamh. Níor labhair sé.

'Is mise Tepos,' a dúirt uncail Mharie Dhearg. 'Do chol ceathrar Tepos. Deartháireacha is ea d'athair agus m'athair ó bhaile Mani sa Yucatán. Thaitin an taisteal le t'athair agus chuaigh sé chomh fada le tír na dTotonach, áit a bhfuair sé bean dó féin.

'A Thepos,' a d'fhreagair an fear sa churach. 'Fuair mé scéala ó reathaithe na foraoise go raibh tú imithe sna hOileáin, i measc na gCairib.'

'Chaith mé píosa fada ann. Bím ag seoladh ó áit go háit.'

'Ach tá tú ar bhád na bhfear geal. An príosúnach thú nó sclábhaí?'

'Ní ceachtar díobh mé. Is le mo neacht Marie an bád seo. Agus táimid ag iarraidh do chúnaimh chun a hathair a thabhairt slán as príosún i Veracruz.'

Bhí Louise Bheag ag osnaíl le mífhoighne. 'Ní thuigim céard atá siad a rá,' ar sí. 'Cén uair a ionsóimid iad?'

'Tairg rud éigin do Thecali,' a mhol Marie dá huncail.

Chas sí ar a cois agus thug súil thart timpeall uirthi go bhfeicfeadh sí céard a dhéanfadh cúis.

'Tusa ansin, tabhair dom do hata! a d'ordaigh sí do dhuine de na fir.

Rug an mairnéalach ar bhileog a hata agus chaith sé chuig Marie é. Ach in áit Marie a bhaint amach d'éirigh an hata sa rigín agus bhuail sé Dún-do-Ghob, ansin chuaigh ag tuairteáil anuas tríd na scriútaí gur thit sé i bhfarraige. Bhí Tepos ar tí 'do bhronntanas' a rá lena chol ceathrar nuair ab éigean dó a chuid focal a shlogadh. Ansin, chualathas scréachaíl chráite ón gcrann mór.

'Dúnmharrrfóirr! Murdarrróirrr! Rrrifíneach!'

Dhreap Tepos anuas le taobh an bháid ar dhréimire súgáin. Thug Tecali a churach isteach le taobh an *Fantasque*. Nuair a chonaic na hIndiaigh Tepos ina shuí i gcurach Thepali tharraing siad a gcuid curach siar uathu.

'Céard atá siad a rá?' a d'fhiafraigh Louise Bheag di féin nuair a chuala sí an dá chol ceathrar i mbun comhrá. Thug na Totonaigh a gcuid curacha thart i gcruth réaltóige timpeall ar an mbád.

Bhuail Louise Bheag sonc ar a deirfiúr. 'Táimid ag cur ama amú anseo nuair atá Deaide sáinnithe i gcillín. Cén fáth nach gcoinneodh muid orainn i dtreo Veracruz? Is é an trua gur casadh na hIndiaigh seo orainn!'

'Nílimid ag cur ama amú,' a dúirt Marie Dhearg. 'Tá cabhair na dTotonach uainn le hionsaí a dhéanamh ar Veracruz.'

'Á!' a deir Louise Bheag, 'Táimid le múrtha an bhaile a leagan le saigheada?'

Bhí nimh ar ghlór Mharie Dhearg. 'Ní bhfaighidh deich ngunna an *Fantasque* an ceann is fearr ar thrí scór gunna agus garastún San Juan de Ulúa. Theastódh cabhlach uainn le ceannas a fháil ar an mbaile.'

'Fiú má thagaimid aniar aduaidh orthu?'

'Tá slabhra mór trasna bhéal an chuain acu, é crochta dhá mhéadar os cionn an uisce, agus gach uile lúb sa slabhra chomh leathan le do lámh.'

'Mar sin, ní fhéadfaimid ionsaí a dhéanamh ón bhfarraige,' a dúirt Benjamin.

Leath meangadh an gháire ar Mharie. 'Féadfaidh agus ní fhéadfaidh,' ar sí.

Thug Louis Bheag curach Thecali faoi deara ag

filleadh i dtreo na loinge. 'Tuigim anois,' ar sí.
'Sleamhnóidh na hIndiaigh isteach faoin slabhra
ina gcuid curacha! Ach céard a tharlóidh ina
dhiaidh sin?'

'Meallfaidh na gaiscígh na saighdiúirí amach as
an dún i dtreo an bhaile.... Míneoidh mé mo phlean
daoibh níos deireanaí. Beidh páirt agat féin is ag do
dhearthár ann — agus ní páirt bheag é!'

'Tá súil agam nach ea!' a dúirt Louise Bheag go
sásta. 'Céard a chaithfidh mé a dhéanamh? An t-ionsaí
a threorú go Veracruz? An t-armlón a phléascadh?
Deaide a thabhairt amach as an bpríosún?'

'Na rudaí sin ar fad, b'fhéidir.' Shín sé a lámh
chuig Tepos le cabhrú leis dreapadh aníos thar an
ráille.

'Caithfidh sibh gach uile rud a mhíniú dúinn,' a
dúirt Benjamin go mífhoighneach.

'Ní ionsaíonn tú baile mar a léifeá léarscáil,' a
dúirt Louise Bheag leis. 'Briseann tú tríd, gearrann
tú cosán romhat le neart claímh agus déanann tú
de réir mar a thiteann amach. Ach, má tá faitíos
ort...!'

'Níl aon fhaitíos ormsa,' a dúirt Benjamin, 'ach sílim go....'

'Éistigí, an bheirt agaibhse!' arsa Marie go mífhoighneach leo. 'Bhuel?' ar sí, agus a smig á crochadh i dtreo na gcurach aici.

'Tá Tecali sásta cabhrú linn,' a dúirt Tepos. 'Tá an-fhonn air na Spáinnigh a chur in aer!'

'Bhfuil na hIndiaigh sásta lenár bplean?'

'Tá siad sásta rud ar bith a dhéanamh le baile Chortés* a chur trí thine.'

*An Conquistador Spáinneach Hernando Cortes, a ghabh Meicsiceo agus a thóg an baile Veracruz i 1519.

Labhair Marie leis an gcriú. 'Éirígí! Croch na seolta … bordáil ar an ngaoth,' a d'ordaigh sí don phíolóta.

Chuaigh na foghlaithe mara ag dreapadh sa rigín. Taobh istigh de chúpla soicind bhí na seolta crochta. Le bloscadh tréan, líon an ghaoth na seolta agus casadh an *Fantasque* ar a cíle. D'oibrigh na hIndiaigh na maidí rámha go tréan le teacht taobh thiar de shruth na stiúrach.

Beagán níos deireanaí, ag druidim le hOileán na nÍobairtí, oileán tréigthe amach ó Veracruz, chruinnigh na curacha faoi scáil na loinge ionas nach bhfeicfeadh gardaí an dúin iad. Ghluais an *Fantasque* le cósta, agus chuaigh na Totonaigh i dtír in Oileán na nÍobairtí.

'Cuirfidh tú tús leis an ionsaí san oíche amárach,' a mheabhraigh Tepos dá chol ceathrar sa churach dheireanach a d'imigh ón long. 'Nuair a lasfar cros Chortés.'

D'fhreagair Tecali é le comhartha láimhe. Lean an bád seoil dá cúrsa le súil nach gcuirfeadh sí amhras ar na gardaí faire a bhí á breathnú amach ó mhúrtha an dúin, agus sheol sí isteach thar shoilse dearga Veracruz.

'Anois cá bhfuilimid ag dul?' a d'fhiafraigh Louise Bheag.

'Mar nach bhfuil tú féin ná do dheartháir in ann codladh,' a dúirt Marie, 'féadfaidh sibh dreapadh in airde ar an gcrann seoil agus, le solas na gealaí, beidh sibh in ann téada na brataí a theannadh. Níor mhaith liom go bhfuadódh an ghaoth Bratach na gCnámh* nuair a chrochfaimid í.'

'Huth?' arsa Benjamin. 'Tá mé ag ceapadh nár liomsa an leaba luascáin sin aréir. Táim cinnte go bhfuil mo leabasa go breá agus nach mbeidh aon deacracht agam dul a chodladh anois!'

'Sílim go raibh mise luite bunoscionn sa leaba agus go raibh mo shrón i mo chuid stocaí aréir. Beidh mé níos fearr anois.'

'Faoin deic libh go beo, mar sin!' arsa Marie. 'Greadaigí libh as mo radharc agus ná feicimse arís sibh go mbeimid in La Antigua!'

'Grrreadaigí libh as mo rrradharrrc!' a bhéic Dún-do-Ghob as an rigín. 'In ainm Chrrroim!'

---

*Bratach na bhfoghlaithe mara: cloigeann agus cnámha an bháis ar chúlra dubh

Caibidil III

An Cleite agus an Gunna

La Antigua! Tríocha ciliméadar taobh ó thuaidh de Veracruz, ní raibh sa chalafort ach baile beag iascaigh a tógadh thart timpeall ar shéipéal. Ar an bhfoscadh, le caladh, bhí báid iascaigh chomh maith le bád aon chrainn cosúil le slúpa Mharie Dhearg.

'Tá bucainéirí anseo romhainn,' a dúirt Tepos nuair a bháigh an *Fantasque* ancaire amach ón mbaile beag.

'Seans go bhfuil siad ag tarraingt uisce agus ag fiach san fhoraois,' a mheas Marie. 'Ní chuirfidh siad isteach orainne. Faoi mhaidin beimid ar an mbealach go Veracruz.'

Ghlaoigh sí ar mhairnéalach a bhí ag crochadh rópa de phionna ar an tslat bhoird. 'Dúisigh an dá leathchúpla agus tabhair chugam iad.'

Ní túisce an rópa leagtha uaidh aige ná chualathas glór taobh thiar de Mharie. 'Táimid anseo!'

Dhreap Louise Bheag agus Benjamin aníos as an haiste. Sheas an cailín os comhair a deirféar, dhá mhiodóg ghéara ina crios aici, a lámha ar corróga agus í chomh postúil le captaen loinge.

'Cuir mé geall nár chodail ceachtar agaibh néal ó shin,' a dúirt Marie.

'Tá díocas chun troda orainn,' a dúirt Louise Bheag.

'Agus táimid ag súil go mór le Deaide a fheiceáil.'

'Ní bheidh siad sin ag teastáil uait,' a dúirt Marie, agus bhain sí an dá scian óna deirfiúr.

'Agus cén chaoi a gcosnóidh mé mé féin?'

'Agus céard a cheapfadh gardaí an bhaile dá bhfeicfidís ag teacht mar sin thú?'

'Ach...?'

Creid uaimse é, beidh deis agat airm níos contúirtí ná iad sin a láimhseáil sula mbeidh an lá seo caite!'

Las éadan Louise Bheag go sásta.

'An ciseán uibheacha!' Thaispeáin Marie di an ciseán a bhí i lámh Mhalibu.

'Uibheacha?' Tá tú ag iarraidh go n-ionsóidh mé arm na Spáinne le cúpla ubh! An bhfuil tú ag magadh fúm?'

'Ní faoi chearc a rugadh iad seo,' a dúirt Malibu.

Thaispeáin sé an ciseán don bheirt ógánach. Uibheacha móra liatha a bhí iontu, ach bhí aidhnín ar gach uile cheann díobh.

'Gra-gra-granáidí!' arsa Benjamin go stadach.

'Go díreach é,' a dúirt Malibu. 'Agus seo bosca

spoinc leis an aidhnín a lasadh. Thaispeáin sé dóibh an chaoi leis an lastóir a oibriú.

'Grrrranáidí! Darrr adharrrca an diabhail, beidh sé ina rrraic is ina rrréabadh, beidh sé ina bháirrre fola!'

'Fanfaidh an phearóid anseo,' a dúirt Marie. 'Tá an iomarca faid lena theanga aige!'

Go gairid ina dhiaidh sin, thug bád iomartha Marie, Tepos, Malibu, triúr fear, agus an bheirt ógán-ach, go La Antigua. Chomh luath agus a cuireadh an bhuíon i dtír d'fhill na fir iomartha ar an *bhFantasque*.

'Cén chaoi a bhfuil sé i gceist againn Deaide a shaoradh?' a d'fhiafraigh Benjamin.

'Le cleas,' a dúirt Marie. 'Inseoidh mé duit céard a bheidh le déanamh agat nuair a bheimid ann. Tuigfidh sibh níos fearr nuair a fheicfidh sibh an áit. Sibhse an t-aon bheirt a bheidh in ann bealach a dhéanamh isteach sa dún.'

'Leis an gciseán uibheacha,' a deir Mirabu agus é ag gáire.

'Thar cionn!' a dúirt Louise Bheag. 'Troidfimid

mar a dhéanfadh fíor-fhoghlaithe mara! Is é Deaide a bheidh bródúil asainn!'

'Is é, go deimhin,' a dúirt Benjamin de ghlór beag faiteach.

Bhí na tithe stórais le taobh na cé, agus bhí cuid acu chomh sean go raibh an díon tite isteach orthu.

'Ní thagann mórán longa go La Antigua níos mó,' a dúirt Tepos. 'Ach mar sin féin, tiocfaimid ar rud éigin sna stórais.'

'Tiocfaidh, an ea? Seanchleití ó aimsir na nInceach agus seanarmúr na gConquistador!!! a dúirt Louise Bheag go díspeagúil.

'Earraí ón Spáinn. Stóráiltear anseo iad sula dtugtar ar aghaidh go Jalapa iad. Baile intíre é Jalapa. Tagann muintir na háite ar fad chuig an aonach mór bliantúil ann.'

'Agus cén mhaith dúinne…?'

'Is túisce a ligfí trádálaí ná foghlaí mara isteach go Veracruz,' a dúirt Marie.

'Agus do chlaíomhsa? An bhfuil sé i gceist agat é a shlogadh ionas nach bhfeicfidh na saighdiúirí é!'

In áit freagra a thabhairt orthu, bhrúigh Marie an

bheirt isteach i lána beag idir na tithe stórais. Sheas siad os comhair an dorais. Bhain Tepos an glas den doras le buille dá thua, agus chuaigh siad ar fad isteach san fhoirgneamh dorcha. Thug na fuinneoga arda solas taibhsiúil glas ar mhálaí agus ar chófraí. Bhain Malibu an claibín de chófra le lann a chlaímh.

'Hataí,' ar sé, agus iontas air.

'Agus sa cheann seo tá ribíní, froigisí agus muin-chillí lása,' a dúirt duine eile de na foghlaithe mara.

'Thar barr,' a deir Marie, agus tharraing ar a ceann cochall bhán a raibh fáithim lása air. Leag sí ceann eile ar chloigeann Louise Bheag.

'Cuirfidh siad seo cuma níos banúla orainn. Beidh sé ag teastáil uainn chun gardaí Veracruz a bhréagadh. Faighigí gúna dom sna boscaí sin.'

D'ordaigh Tepos do na fir dhá bhosca a iompar amach. 'Tabharfaimid linn cúpla mála pluideanna.'

'Ní thabharfaidh sibh dada libh, a bhucainéirí an diabhail!' a dúirt glór garbh ar a gcúl.

Chas siad thart. Bhí garda na háite ina sheasamh sa doras, laindéar lasta ar an talamh lena chois agus muscaed mór dírithe aige orthu. 'Leagaigí bhur gcuid arm ar an talamh,' a dúirt sé. 'Lasfaidh mé an cloigeann ar an gcéad duine a chorróidh. An bheirt agaibhse, leagaigí ar ais an dá bhoinéad sin.' Agus dhírigh sé an muscaed ar an mbeirt deirfiúracha.

Bhain na claimhte, na sceana agus na piostail torann miotalach as leaca an urláir.

'Amachaigí libh!'

Sheas an garda siar leis an mbuíon a ligean amach thairis. Corraíl bheag san aer os a chionn a chuir dá bhuille é. D'ardaigh sé a cheann. Bhuail gob agus croibh an éin in éineacht é, agus dhá sciathán ag cleitearnach ina chluasa. Ligeadh béic. 'Beidh sé ina bháirrre fola!'

Léim Malibu ar a chosa. Tharraing Tepos an gunna den gharda.

Rug Marie ar Dún-do-Ghob agus chaith sí in airde san aer é. 'Shíl mé go ndúirt mé leatsa fanacht ar an mbád!' a bhéic sí go feargach.

Thuirling an phearóid ar ghualainn Bhenjamin agus chrom sé a cheann faoina sciathán. 'R-rrrrú!'

Tháinig boige in éadan Mharie. 'B'fhéidir gur maith an rud é gur lean tú muid,' ar sí.

Dhírigh an t-éan aníos agus bhain sé croitheadh as a chuid cleití.

'In amanna is fearr a bheith easumhal,' a dúirt Louise Bheag.

'Cuir an smaoineamh sin as do cheann,' a chomhairligh Marie di. 'Mura leanfaidh tú mo chuid ordaithe go beacht gearrfar pionós ort mar a ghearrfaí ar mhairnéalach ar bith eile.'

'Crrrochfarrr de shlat an chrrrainn mhóirrr thú!'

'Go díreach é!'

'Nia-nia-nia!' a deir Louise Bheag go míshásta leis an bpearóid.

Rug Maria greim ar bhóna an gharda agus d'ardaigh sí a chloigeann aníos de bheagán. 'An bhfuil carr asail agat?'

'I dtigh an diabhail leat!'

'Ní maith liom an freagra sin. A Mhalibu, bain an cloigeann de.'

Thóg Malibu a chlaíomh agus leag sé rinn an chlaímh ar a mhuineál.

'Trócaire!' a deir an garda go piachánach, agus an dá shúil ar leathadh ina cheann. 'Tugaigí libh mo

charr, mo dhamh — tugaigí libh mo mháthair, ach ná maraígí mé!'

'Nach tú an mac mídhílis!' a dúirt Marie. 'Le pionós a ghearradh ort coinneoidh mé an carr, ach mura bhfuil tú ag iarraidh orm do dhamh a róstadh ar beara, déan dearmad go bhfaca tú riamh muid!'

'Sin nó cuirfimid tú féin ar róstadh agus do theach trí thine!' a dúirt Louise Bheag agus a béal á shádh faoina shrón aici. 'Agus beidh do mhama bhocht ag cur mallachtaí le d'anam go Lá an Luain! Cá bhfuil do charr agus do dhamh?'

Lena smig, thaispeáin an garda an cró dóibh. Ceanglaíodh go sciobtha é agus cuireadh ina shuí ar an talamh é, agus é ag breathnú orthu ag imeacht lena charr, lena dhamh, lena mhuscaed, dhá bhosca agus ualach éadaigh. 'Tiocfar orm anseo,' a scairt sé ina ndiaidh, 'agus is í bhur long a lasfar, agus beidh tríocha muscaed ag fanacht libh anseo nuair a thiocfaidh sibh amach as an bhforaois!'

Bhí an damh míshásta gur dúisíodh as a codladh é, agus b'éigean é a phriocadh le rinn claímh sula gcorródh sé as an gcró.

'Ar an luas seo, ní bhainfimid Veracruz amach go dtí an oíche amárach,' a dúirt Malibu de ghnúsacht, agus é féin agus a thriúr fear ag máirseáil le taobh an chairr.

'Déanfaidh sé sin go breá muid,' a dúirt Marie, agus í gléasta anois i mblús agus sciorta. 'Is gearr go mbeidh sé dorcha, agus ní bheimid ag déanamh imní go mbreathnódh gasúr éigin fiosrach isteach sa charr agus go bhfeicfeadh sé na gunnaí i bhfolach inti.'

'Is gearr go mbeidh an bheirt ina gcodladh,' a dúirt Tepos, agus é ina shuí in airde ar an gcarr lena neacht.

'Gluaiseacht an chairr atá ag cur suain orthu,' a d'fhreagair Marie. 'Sílim go ndúnfaidh mé féin mo shúile.'

'Tá an-seans go n-éireoidh le do phlean an Captaen Roc a scaoileadh saor, ach tá do dheartháir agus do dheirfiúr á gcur i mbaol go mór agat,' a dúirt an tIndiach. 'Níl tú ag iarraidh fáil réidh leo, an bhfuil?'

Thug Marie Dhearg croitheadh dá slinneán, ansin leag sí a dhá uillinn anuas ar a glúine, lig a smig anuas ar a brollach, agus chlúdaigh sí héadan. D'fhan sí mar sin gan focal aisti.

Cros Chortés

An lá dar gcionn, go deireanach sa tráthnóna, chonaic siad geataí Veracruz trí na crainn amach rompu.

'Scaoiligí amach na gunnaí mórrra! Gach duine arrr an deic! Beidh sé ina bháirrre fola!'

'Tarraingeoidh an diabhal d'éan sin aird orainn,' a dúirt Malibu go míshásta. 'Bhí agam na cleití a bhaint de agus é a bhruth don lón!'

'An bhfuil na gránáidí i bhfolach go maith agaibh?' a d'fhiafraigh Marie den chúpla.

'Tá siad faoi na torthaí sa chiseán,' a dúirt Benjamin. 'Tá súil agam nach mbreathnóidh na gardaí ann.'

'Tá a fhios agamsa cén chaoi lena stopadh,' a dúirt Louise Bheag go sásta, agus shuigh sí os cionn an chiseáin. 'Ní féidir dada a fheiceáil faoi mo ghúna!'

'Agus má chuireann an garda as an gcarr thú?' a d'fhiafraigh Benjamin.

'Déarfaidh mé go bhfuil crampa i mo bholg agus nach bhfuil mé in ann corraí,' a d'fhreagair sí.

'Hmmm. Is dóigh nach gceapfadh duine ar bith beo go raibh tú i do shuí ar ábhar pléascach,' a dúirt Marie. 'Bígí aireach anois, táimid beagnach ag an ngeata, agus tá a shúil ag duine de na gardaí orainn!'

Agus halbard mór ar a ghualainn aige, lig an garda Spáinneach feirmeoir agus a asal amach an geata, ansin shiúil sé chomh fada leis an gcarr agus d'ordaigh sé do Thepos stopadh.

'As Jalapa a thángamar,' a dúirt Marie. 'Tá éadach agus lása againn do mhná Veracruz.'

Bhí an chuma ar an ngarda go raibh iontas air. 'An méid seo agaibh ann agus gan agaibh ach an t-ualach beag seo?'

Tharraing a chuid cainte a chomrádaí chucu. Bhuail sé a mhuscaed anuas ar an talamh agus sheas sé ag breathnú orthu.

'Chuala mé go raibh foghlaithe mara tagtha i dtír,' a dúirt Marie Dhearg. 'Táim ag iarraidh mo chuid earraí a choinneáil slán. Nach bhfuil an ceart agam?'

'Tá go deimhin,' a dúirt an garda, agus é ag breathnú go géar orthu. Chuir na hógánaigh tuilleadh amhrais air. 'Céard atá agaibh sna bearta sin?'

Scaoil Malibu an ceangal agus scaoil sé amach an t-éadach daite.

'Agus sna cófraí?'

D'éirigh Malibu in airde ar an gcarr agus bhain sé an clúdach de chófra. Dúirt an garda leis é a dhoirteadh amach. Rinne Malibu rud air.

'Céard a dúirt mé libh, hataí agus froigisí!'

Bhreathnaigh an garda ar Louise Bheag. 'Céard air a bhfuil tú i do shuí?'

'Ar dhada,' a dúirt sí, agus gramhas uirthi. 'Tá pian i mo bholg. Tá mé níos fearr anseo ar mo ghogaide.'

Bhí a gcroí ina mbéal ag na foghlaithe mara. Dá n-ordódh an garda di éirí agus dá mbreathnódh sé sa chiseán bheadh thiar orthu. Sheas an garda siar, chomharthaigh sé dá chomrádaí go raibh gach rud

i gceart, ansin threoraigh sé isteach an chéad charr
eile a bhí tagtha chuig an ngeata.

Taobh istigh de na ballaí, tithe adhmaid ar fad —
idir bheag agus mhór — a bhí sa bhaile, cé is moite
de shéipéal Chríost an Turais Sláin a bhí sa chearnóg
i lár an bhaile. Ina seasamh amach roimhe bhí Cros

Chortés, agus a scáil á caitheamh aici ar bhalla an tséipéil.

'Ní fhaca mé cros chomh mór riamh,' a dúirt Benjamin. 'Tá sí chomh hard leis an sliabh.'

D'inis Tepos dóibh gur thóg an Conquistador í ar oileán San Juan de Ulúa nuair a bhí sé ag tabhairt aghaidh i dtús ar Mheicsiceo. 'Aistríodh anseo í nuair a bhí an dún seo á thógáil ag na Spáinnigh. Is í siombail Veracruz í, ainm a chiallaíonn an Fhíor-Chros.'

'Is aisti a thabharfar an comhartha ionsaí,' a dúirt Marie i gcogar. 'Tugaigí cluas dom anois go n-inseoidh mé daoibh céard a bheidh le déanamh agaibh.'

Theann siad ar fad thar timpeall ar Mharie Dhearg agus, de ghlór íseal, d'inis sí an plean dóibh.

'Táimid in ann aige,' a dúirt Louise Bheag. 'Ní chuirfidh an chontúirt stop linn. Sábhálfaimid Deaide nó gheobhaimid bás in éineacht leis.'

Bhí Benjamin ag slogadh go neirbhíseach. Nuair a thagadh faitíos air, thriomaíodh a scornach agus ní bhíodh sé in ann labhairt. Chuir sé meangadh mór air féin lena thaispeáint go raibh seisean réidh freisin lena bheatha a thabhairt suas ar son a n-athar. Ní raibh sé i gceist aige a thaispeáint dá dheirfiúr go raibh faitíos air!

D'airigh sé gob géar ar chúl a mhuiníl, agus phreab Benjamin. Bhí Dún-do-Ghob tar éis tuirlingt ar a ghualainn.

'Crrrochaigí seol in ainm Dé! Cuirrrigí cuma na maitheasa orrraibh féin!'

Lig siad ar fad racht gáire astu, cé is moite de Bhenjamin, nár lig dada air féin agus gan a fhios aige an faoi féin nó faoin bpearóid a bhí siad ag gáire. Ghluais an carr suas an phríomhshráid agus stop sí i lána dorcha ar chúl na heaglaise. Shuigh na foghlaithe mara thart timpeall ar an gcarr ionas nach bhféadfadh aon duine fiosrach dul ag cartadh sna boscaí.

'Tá sé ag éirí deireanach,' a dúirt Tepos. 'Is gearr go mbeidh sé dubh dorcha. Tá sé in am agam sibh a thabhairt chomh fada leis an gcalafort,' a dúirt sé leis an gcúpla.

Shac Malibu cúpla gránáid síos in dhá mhála,

agus cheangail Louise Bheag agus Benjamin dá gcrios iad.

'Ní thabharfaidh duine ar bith faoi deara iad,' a dúirt sé.

Thosaigh duine de na foghlaithe mara ag tógáil na ngunnaí agus an bhairille pic as an gcarr, ach chuir Marie stop leis.

'Tá sé róluath fós. Maidir leis an mbeirt agaibhse, tá súil agam nach bhfuil dearmad déanta agaibh ar na cúpla abairt Spáinnise a mhúin mé daoibh.'

Le croitheadh dá gceann, thug an cúpla le fios go raibh na habairtí ar eolas acu.

'Pé ar bith céard a tharlóidh, ná labhraígí focal Fraincise,' a chomhairligh Marie dóibh.

Bhí an fharraige lasta ag na gathanna deireanacha gréine agus í cosúil le scáthán mór óir. Ansin dhorchaigh na tithe. Chualathas cling trom slabhra ó bhéal an chuain agus an calafort á dhúnadh don oíche.

'Seo báidín beag éadrom.' Thaispeáin Tepos don bheirt bád beag iomartha i measc na mbád beag eile a bhí tarraingthe aníos ar an trá.

Le caladh, bhí dhá long tráchtála agus long chogaidh ag bualadh in aghaidh na cé. D'fháisc Tepos gualainn na beirte chun misneach a thabhairt dóibh, ansin, gan focal, d'fhill sé ar an mbaile beag. Ar aghaidh an chalafoirt amach, ar charraig os cionn na farraige, bhí dún San Juan de Ulúa mar a bheadh garda ann agus é lasta faoi sholas na gealaí.

Go tobann, caitheadh solas ar Veracruz. Bhí Cros Chortés trí thine, agus lasracha ag éirí in airde san oíche. Chaith an ghaoth aithní na tine ina chith os cionn an bhaile. D'éirigh saigheada lasta as an bhfarraige, agus d'eitil siad ag feadaíl tríd an aer gur bádh in adhmad na ndíonta iad le torann briosc.

'Sin é é! Tá gaiscígh Thecali tar éis tús a chur leis an ionsaí. Tá siad ceaptha sleamhnú isteach faoi scáth Oileán na nÍobairtí.'

'Fúinne atá sé anois,' a deir Benjamin. 'Cabhraigh liom an báidín a chur i bhfarraige.'

'Cuirrr do dhrrroim leis!' a bhéic Dún-do-Gob agus iad ag cur a ngualainn leis an mbád agus á brú thar an ngaineamh isteach sa sáile. 'Cuirrrr sprrreacadh ann, a bhuachaill, nó crrrochfaidh mise de shlat an chrrrainn mhóirrr thú! Siúlfaidh sibh an clárrr agus beathóidh sibh na siorrrcanna!'

'Dún é!' arsa Benjamin leis. 'Tarraingeoidh an diabhal d'éan sin aird orainn!'

'Táimid ag iarraidh an Captaen Roc a shaoradh! Fan glan orainn!'

'An Captaen Rrroc? Rrrrrú!'

'Céard atá air?' Bhí iontas ar Louise Bheag. 'Nuair a luaigh mé ainm Dheaide d'eitil sé uaim mar a bheadh an Diabhal feicthe aige! Ní fhéadfadh sé go bhfuil faitíos air roimh Dheaide?'

San Juan de Ulúa

Bhí an oíche chomh geal leis an lá i Veracruz. D'éirigh lasracha as na tithe adhmaid. Go scanraithe, bhí muintir an bhaile ag doirteadh amach ar na sráideanna agus iad ag béiceadh in ard a gcinn. Go tapa, d'eagraigh na fir iad féin i slabhra chun buicéid uisce a thabhairt chomh fada leis na tinte. Phreab Marie agus a cuid foghlaithe mara sa mhullach orthu agus scaip siad iad le buillí claímh, rud a thug an deis do na hIndiaigh, a bhí tar éis éalú isteach faoin slabhra, teacht i dtír agus an baile a chreachadh. Ag sleamhnú amach thar an bhfarraige dhearglasta, bhí Benjamin ag iomramh ar a mhíle dícheall i dtreo oileán San Juan de Ulúa.

'Breathnaigh!' a dúirt a dheirfiúr nuair a chonaic sí na soilse ar na carraigeacha. 'Tá na saighdiúirí tagtha amach as an dún. Ach tá tuilleadh acu thuas ar bharr thúr an phríosúin.'

'Fanfaidh siad sin ar an oileán,' a dúirt Benjamin.

Faoina gceannaire, chuaigh cuid mhór den gharastún sna báid iomartha le cabhair a thabhairt do mhuintir an bhaile. Bhí na chéad bhuillí iomartha le cloisteáil agus an cúpla ag teacht chomh fada leo.

'Ní maith liom an pháirt atá le himirt againne anseo,' a dúirt Louise Bheag go himníoch. 'Níl aon chleachtadh agam ar a bheith ag fuarchaoineachán. Níl tú ag iarraidh m'áit a thógáil?' a d'fhiafraigh sí dá deartháir.

'Má cheapann na saighdiúirí go bhfuil tú réidh le hionsaí a dhéanamh orthu beidh siad ar a n-airdeall, mar sin déan iarracht níos fearr!'

'Ceart go leor.'

Shín sí a lámha amach chuig na Spáinnigh, amhail is go raibh siad le cabhrú léi, agus thosaigh sí ag glaoch amach i Spáinnis, 'Cabhraígí liom!'

'Níl gnó ar bith anseo agaibh!' a bhéic an ceannaire. 'Casaigí ar ais!'

'Tá ár dteach trí thine,' a dúirt Benjamin, agus é

ag caoineadh. 'Tá an díon tite ar ár n-athair is ár
máthair. Tá na hIndiaigh ag marú gach uile dhuine.
Tá sé uafásach!'

'Tuigim go maith,' a dúirt an t-oifigeach. 'Cuirfi-
midne gach rud ina cheart. Coinnígí amach ón dún
agus fanaigí in éindí linn ar an bhfarraige.'

'Tá faitíos orm,' a dúirt Louise Bheag. 'Beimid níos
sábháilte ar an oileán.'

'Tá siad scanraithe,' a dúirt oifigeach eile leis an
gceannaire. 'Níl iontu ach páistí.'

'Maith go leor. Téigí chomh fada le teach an gharda,' a d'ordaigh an ceannaire don chúpla.

Bhí Benjamin agus Louise tagtha chomh fada leis an dún nuair a nocht an *Fantasque* i mbéal an chuain.

'Táim…. Táimid…,' arsa Benjamin go stadach, agus é ag iarraidh breith ar a anáil.

'Táimid ag iarraidh dídine sa dún,' a dúirt a dheirfiúr leis an ngarda ag geata an dúin.

'Chonaic mé sibh ar an bhfarraige leis an gCeannfort,' a dúirt an garda. 'Tagaigí isteach.'

Chuaigh an cúpla isteach an geata agus tháinig siad ar fhaiche an dúin. Bhreathnaigh siad in airde agus chonaic siad go raibh na gardaí a bhí fanta sa dún cruinnithe ar an múr cosanta ag breathnú amach ar an gcalafort agus ar an mbaile.

'Dar le Tepos, tá an príosún suite díreach os cionn na farraige,' a dúirt Louise Bheag de chogar.

'Tá doras sa túr, thall ansin, agus laindéar lasta ann. Chaithfeadh sé gurb in é an bealach go dtí na cillíní.'

Thrasnaigh siad an fhaiche go sciobtha, agus iad cúramach nach mbuailfeadh na gránáidí faoina chéile ina gcuid málaí. Na cúpla garda a casadh orthu, bhí deifir chomh mór orthu dul chomh fada lena gcomrádaithe ar mhúrtha an dúin nár thug siad aon aird orthu. Isteach doras an túir leis an mbeirt. Bhí boladh caonaigh ar an ballaí.

'Ní féidir liom dada a fheiceáil,' a dúirt Louise Bheag. 'Bhí againn an laindéar a thabhairt linn.'

'D'fheicfeadh na saighdiúirí ansin go raibh duine éigin thíos anseo,' a dúirt Benjamin. 'Tá mo bhosca spoinc agam.'

Thóg Benjamin an lastóir as a mhála agus las sé an buaiceas. Thug sé sin dóthain solais dóibh leis an mbealach faoi na háirsí a dhéanamh amach. Choinnigh siad orthu síos an pasáiste. Go tobann, sheas fear mór ramhar amach rompu, agus d'fhiafraigh sé díobh i Spáinnis céard a bhí á dhéanamh ansin acu.

Chuimhnigh Benjamin ar an méid a mhúin Marie dó. 'Tá an baile trí lasadh,' ar sé. Thug an Ceannfort cead dúinn dídean a fháil anseo.'

'Anseo?' a dúirt sé agus an dá shúil leathnaithe ann. 'I dteach an bhairdéara?'

Chroith an cúpla a gcloigeann, cé nár thuig siad ar chor ar bith é.

Thug an bairdéir searradh dá ghuaillí, agus threoraigh sé iad go seomra a bhí déanta i mballa an dúin. Bhí lampa ola lasta ar an mbord, rud a thug solas dóibh ar leaba, cófra, agus ar sheastán gunnaí. 'Suígí síos,' a d'ordaigh sé dóibh. Thaispeáin sé an leaba dóibh. 'Agus abraigí paidir nach dtiocfaidh an namhaid chomh fada linn!'

Shuigh Louise Bheag ar an leaba, ach bhuail a mála in aghaidh an adhmaid agus rinne sé torann miotail.

'Hóra! Céard é sin agat?' a d'fhiafraigh an fear di.

Táimid i sáinn, a dúirt Benjamin leis féin.

Cé nár thuig Louise Bheag focail an bhairdéara, thuig sí go maith céard a bhí i gceist aige. Chuir sé an cheist arís agus, nuair nach bhfuair sé aon fhreagra uaithi, chuaigh sé chomh fada léi agus shín amach a láimh.

'Ná leag méar orm!' a scairt sí amach i bhFraincis.

Rinneadh staic den fhear. Tháinig cuma chrosta air. 'Cé sibh féin?' Rug sé greim gualainne ar Louise Bheag agus tharraing sé den leaba í.

Buaileadh buille i gcúl a chinn air, agus scaoil sé di. Sheas sé ina staic ar feadh cúpla soicind, rud a thug dóthain ama do Bhenjamin an mála lán liathróidí iarainn a chrochadh arís, agus é a bhualadh den dara huair ar chúl a chinn. Thit sé ar a dhá ghlúin agus chuaigh Benjamin agus Louise Bheag ag gabháil de bhuillí air gur thit sé ina chnap ar an urlár.

'Sin é é!' a dúirt Benjamin, agus saothar air. 'Beidh an t-am againn Deaide a ligean amach sula dtiocfaidh sé ar ais chuige féin.

'Tá súil agam nach bhfuil dochar déanta againn do na gránáidí,' arsa Louise Bheag, agus bhreathnaigh sí isteach sa mhála.

Thug sí an lampa ola léi, d'imigh sí amach as an seomra, agus lean sí an pasáiste tais síos le fána faoi bholg an oileáin. Ag dul thar chillíní folmha dóibh chonaic siad nach raibh fuinneog ar bith iontu.

'Gearradh an príosún amach as an gcarraig,' a dúirt Benjamin.

Tháinig glórtha chucu sa dorchadas — monabhar cainte, maslaí, glaonna.

'Thíos anseo atá Deaide agus a chriú,' a dúirt

Louise Bheag, agus í ag creathadh le faitíos.

Rinne sí iarracht rith, ach rug a deartháir greim

ar a láimh, á coinneáil. 'Is gearr go bhfeicfimid Deaide.' ar sé. 'Tá faitíos orm. Ní hé go bhfuil faitíos orm roimh aon chontúirt atá amach romhainn … ach tá faitíos orm roimh Dheaide! Céard a déarfaidh sé nuair a fheicfidh sé muid?'

'Tá, agus ormsa,' a d'admhaigh a dheirfiúr. 'Tá faitíos orm nach mbeidh mé in ann ag an dea-scéala más é atá ann!'

Choinnigh siad orthu síos an pasáiste.

'A Dheaide!' a bhéic Louise Bheag. 'A Dheaide!'

'A Chaptaein Roc!' a bhéic Benjamin.

Chiúnaigh na glórtha amach rompu. Go tobann, d'airigh an cúpla an fuacht. Sa tost, bhí siad in ann torann na dtonn a chloisteáil. Chorraigh scáileanna sna cillíní amach rompu. Ardaíodh cloigne i bhfuinneoga beaga na ndoirse agus chualathas slaparnach uisce. Bhí an taoide ag tuileadh agus an sáile ag ardú sna cillíní.

'A Dheaide! A Chaptaein Roc!' a bhéic an cúpla.

Thosaigh duine éigin ag casacht. Ní casacht plúchta a bhí ann, ach duine éigin a bhí ag glanadh a scornaí. 'Cé atá ag glaoch orm?'

'A Dheaide? Muid féin atá ann,' a bhéic Louise Bheag, agus deora ina súile.

'Muid féin?' a dúirt an fear ina diaidh. 'Benjamin? Louise Bheag?'

Bhí an t-iontas le haireachtáil ar a ghlór. Thosaigh an cúpla ag rith, a gcroí ag pléascadh ina gcliabhrach. Theann fir suas in aghaidh na mbarraí iarainn, corrdhuine ag síneadh amach a láimhe. Sheas an bheirt agus d'ardaigh Benjamin an lampa go bhfaigheadh sé amharc níos fearr ar na cillíní. Cé acu a athair? Cé acu an Captaen cáiliúil Roc?

Luigh an solas ar éadan a raibh cluimhreach cúpla lá féasóige air. Bhreathnaigh sí ó dhuine go duine orthu. Bhí an chuma thuirseach chéanna orthu ar fad. Ansin d'fhill sí ar an gcéad éadan a chonaic sí agus bhreathnaigh arís air.

'Is é atá ann!' a d'fhógair sí. 'Sin é Deaide!'

Bhí Benjamin cinnte de freisin. Bhí na súile céanna ag an bhfear agus a bhí aige féin agus a dheirfiúr.

'A Louise Bheag ... a Bhenjamin,' a dúirt an Captaen Roc. 'Má tá sibhse anseo, chaithfeadh sé go bhfuil bhur máthair caillte,' a dúirt sé go brónach.

'Ní ligfeadh sí go deo ar an bhfarraige sibh, mo Mharie bheag álainn!'

'Tá iníon eile leat amuigh sin, agus í ag cur tine leis an mbaile ar do shon,' a dúirt Louise Bheag.

'Tháinig sibh uirthi sin freisin,' a dúirt sé.

'Caithfimid deifir a dhéanamh,' a dúirt Benjamin go himníoch. 'Má dhúisíonn an garda buailfidh sé an t-aláram le rabhadh a thabhairt do na saighdiúirí.'

Go sciobtha, thóg siad amach na gránáidí agus shín siad chuig na príosúnaigh iad. Stróic na foghlaithe mara stialla as a gcuid léinte agus cheangail siad na gránáidí de ghlais na ndoirse leo. Las Benjamin na haidhníní, ceann i ndiaidh a chéile, ansin sheas sé féin agus a dheirfiúr siar. Bhain trí phléasc croitheadh as an ballaí, agus líonadh an pasáiste le dusta agus deatach. Nuair a scaip an deatach, tháinig an Captaen Roc agus a chriú amach trí na barraí briste iarainn agus iad ag casacht go plúchta. Bhí an cúpla ag súil go bhfáiscfeadh a n-athair chuige féin iad, ach ní dhearna sé ach a lámh a leagan ar a nguaillí, agus iad a tharraingt ina dhiaidh.

'Níl an t-am ann,' a dúirt Benjamin nuair a chonaic sé féachaint díomách a dheirféar.

Agus í ag rith suas an pasáiste bhí na deora le Louise Bheag. 'Níl ann ach dusta,' a dúirt sí le Benjamin.

Lasadh solas ag bun an phasáiste. Bhí clogaid agus lúireacha iarainn ag soilsiú faoi sholas lampaí, agus muscaeid á n-ardú le scaoileadh orthu. Sheas an Captaen Roc ina staic.

'Rómhall!'

Caibidil VI

An Long Dhubh

Rug dhá láimh ar Bhenjamin agus Louise Bheag agus caitheadh go talamh iad. Rois piléar! Scinn na piléir tharstu, iad ag sianaíl agus ag preabadh de na ballaí cloiche. Las an Captaen Roc gránáid le solas an lampa ola, agus theilg sé suas sa phasáiste í. Choinnigh an ghránáid uirthi ag rolláil ar an talamh gur phléasc sí.

'Ní thiocfaimid tharastu go deo,' a dúirt an Captaen Roc. 'Caithfimid casadh ar ais!'

'Agus ligean dóibh muid a mharú mar a dhéanfá le lucha thiar sa pholl sin?' a d'fhreagair duine de na fir. 'B'fhearr liom féin....'

'Táim ag tabhairt ordú duit! Tá dhá ghránáid fanta againn. D'fhéadfadh muid poll a chur sa bhalla leis sin.'

Chúlaigh na foghlaithe mara fad agus a bhí na saighdiúirí ag lochtú a gcuid gunnaí taobh thiar den charn cloch agus spallaí. Threoraigh an Captaen Roc a chriú chomh fada le tollán aeir a bhí thart ar throigh go leith ar leithead.

'Éalóimid amach tríd an bpoll sin.'

Chrom sé féin isteach sa tollán ar dtús, lean an cúpla é, agus tháinig na fir ar deireadh. D'fhan duine amháin ar gcúl leis an lampa ola agus gránáid. Ag imeacht rompu ar a mbolg, agus a gcuid uilleannacha agus a nglúine á scríobadh ar na clocha, d'éirigh leis na foghlaithe mara a mbealach a dhéanamh tríd an tollán beag cúng i dtreo sholas dearg a bhí ag teacht chucu ón taobh amuigh — Veracruz trí lasadh. Dhún barraí iarainn an bealach amach orthu.

'Fanaigí siar,' a dúirt an Captaen Roc lena mhac.

Cuireadh an focal siar chuig an dream a bhí ar chúl. D'fhan gach duine gan corr astu. Cheangail an Captaen an ghránáid de na barraí iarainn, ansin las sé an t-aidhnín leis an sponc agus chúlaigh sé siar. Bhain an pléasc croitheadh astu ar fad sa pholl, agus d'fhág sé bodhar iad ar feadh meandair.

'Na barraí…,' a dúirt Benjamin. 'Níor chorraigh sé na barraí iarainn!'

Bhain pléasc taobh amuigh den tollán croitheadh as na ballaí agus ardaíodh scamall eile deataigh agus dusta sa phasáiste.

'Má phléasc mo mhairnéalach an ghránáid sin, chaithfeadh sé go bhfuil na saighdiúirí tagtha chomh fada leis an tollán aeir,' a mheas an Captaen Roc. 'Beidh orthu an bealach isteach a ghlanadh ar dtús, ach ansin beidh siad in ann rois piléar a chaith-eamh linn agus mionachar a dhéanamh dínn.'

Chuala siad pléascáin eile taobh amuigh, mar a bheadh toirneach ar an bhfarraige ann.

'Sin iad gunnaí móra an *Fantasque*,' a d'fhógair Louise Bheag. 'Tá sí ag tacú le hionsaí Mharie Dhearg agus na dTotonach ar an mbaile.'

'Caithfimid teacht as an ngaiste seo,' a dúirt an Captaen Roc, agus é ag breith ar na barraí iarainn. Baineadh siar as nuair a tháinig na barraí leis. Thit siad as a lámha isteach sa bhfarraige dhá throigh thíos fúthu. 'Léimimis!' ar sé.

Duine i ndiaidh a chéile, chaith siad iad féin i

bhfarraige. Leis sin scaoileadh rois piléar síos sa tollán aeir. Buaileadh triúr de an fir. Bhí na trí chorp sa bhealach ar na saighdiúirí agus níor fhéad siad caitheamh leis an gcuid eile acu.

I gcalafort Veracruz, bhí an long chogaidh Spáinneach trí thine. Bhí ag éirí leis na saighdiúirí briseadh trína gcuid naimhde. Fad agus a bhí na hIndiaigh á leanúint ag an gcuid is mó acu trí na sráideanna, bhí buíon eile saighdiúirí ar a mbealach ar ais chuig na báid iomartha. Nuair a chuala siad na pléascáin ar an oileán, d'ordaigh a gceannfort dóibh filleadh ar an oileán chun lámh chúnta a thabhairt don gharastún.

'Tá na príosúnaigh ag éalú,' a d'fhógair oifigeach amháin nuair a chonaic sé na foghlaithe mara á gcaitheamh féin san fharraige.

'Déanaigí caol díreach orthu!' a d'ordaigh an ceannaire. 'Caithigí leo chomh luath is a gcuirfidh siad a gcloigeann aníos as an bhfarraige!'

Luigh na hiomróirí isteach ar na maidí agus iad ag iarraidh breith ar na príosúnaigh.

Bhí an Captaen Roc ag snámh i ngar dá pháistí.

Chomh luath is a chonaic sé an bád ag déanamh orthu, agus na saighdiúirí ag díriú a ngunnaí orthu, bhéic sé ar gach duine snámh faoin uisce. Líon Benjamin agus Louise Bheag a gcuid scamhóg agus thum siad faoi na tonnta. Caitheadh an t-uisce in airde ar gach taobh díobh agus na piléir ag bualadh na farraige. Bhí an cúpla ag snámh ar a míle dícheall, ach ba ghearr go raibh siad ag iarraidh análú arís. Bhí siad ag iarraidh éirí go barr uisce, ach bhí a n-athair ag snámh taobh thiar díobh á gcoinneáil síos. Bhí na báid róghar dóibh, agus na maidí rámha ag gearradh a mbealach tríd an bhfarraige. Scaoil Benjamin slabhra bolgóidí aeir as a bhéal. Bhí a scamhóga trí thine. 'Coinnigh do bhéal dúnta,' a dúirt sé leis féin arís agus arís eile. 'Soicind eile, soicind eile….' Agus é á phlúchadh, scaoil sé é féin ó ghreim a athar agus d'éirigh sé go barr uisce.

D'oscail sé a bhéal go leathan agus líon sé a chuid scamhóg. Bhí sé ag casachtach nuair a chonaic sé a dheirfiúr lena thaobh. D'éirigh a n-athair go barr uisce in aice leo.

'Sin iad iad!' a bhéic an saighdiúir, agus dhírigh sé a mhéar orthu.

Dhírigh na muscaedóirí a ngunnaí leo. D'imigh piléir ag feadaíl tharstu. Bhrúigh an Captaen Roc cloigne na beirte faoi uisce. Ag an nóiméad sin crochadh an bád os cionn na farraige agus caitheadh na saighdiúirí tríd an aer. Bhí piléir ghunnaí móra an *Fantasque* ag scaoileadh leis na báid agus an t-uisce á chaitheamh in airde acu.

Thosaigh gunnaí móra an dúin ag scaoileadh ansin, agus b'éigean don *Fantasque* cúlú ar fhaitíos go mbuailfí í. Leis sin, ghluais cruth mór dorcha chucu san oíche. Long dhubh. Agus í faoi lánseol, d'iompaigh sí a taobh leis an gcuan agus scaoil rois piléar as a cuid sliospholl. Briseadh ina phíosaí an slabhra mór a dhún an calafort. Tháinig an long isteach sa chuan ansin agus scaoil sí an dara rois piléar, leis an dún an t-am seo. Tháinig an *Fantasque* ina diaidh aniar agus thosaigh ag scaoileadh ar na báid lán saighdiúirí. D'fhág na báid bheaga an caladh. D'fhág na Totonaigh a gcuid marbh ina ndiaidh agus theith siad lena gcuid creiche. Dhírigh criú an *Fantasque* a cuid gunnaí ar an túr, agus i gcomhar leis an long dhubh, lean siad ag tuairteáil na mballaí le piléir ghunnaí móra.

Síneadh lámh amach agus rug ar Louise Bheag nuair a bhain sí barr uisce amach. 'Mise atá ann!' a deir Marie Dhearg. 'Dreap in airde sa bhád.'

Tarraingíodh Benjamin in airde, agus ansin an Captaen Roc. Níor éirigh leis na hIndiaigh ach triúr de na mairnéalaigh a thógáil as an bhfarraige. Bhí an chuid eile marbh, nó bhí siad ró-ghar don dún le go bhféadfaí teacht orthu faoi lámhach na Spáinneach. Bhain rois mhór amháin eile mant as múrtha an dúin, sheol an dá shoitheach amach as an gcuan, agus na báid Indiacha á leanúint.

Bhí sé ina thoirneach fós san oíche, agus an t-uisce á chaitheamh in airde taobh thiar de na báid, ach bhí siad imithe as raon gunnaí na Spáinneach. Ar deireadh tháinig tost ar na gunnaí agus na báid ag seoladh amach ar an domhain.

'Tá sé déanta againn,' a dúirt Benjamin. Bhí creathán ina lámha agus a chosa. 'D'éirigh linn. Thugamar Deaide slán.'

An tÉan
agus an Hata Mór

Bhí an Captaen Roc agus a chuid páistí ar an *Fantasque*. Ó shlat bhoird an bháid bhí Benjamin agus a athair ag faire ar an long dhubh a bhí ag teacht níos gaire dóibh. Bhí Louise Bheag ina suí ar an deic agus a liopa íochtarach amuigh aici go míshásta. Bhuail Marie Dhearg buille coise uirthi.

'Nach dtiocfaidh tú go bhfeicfidh tú cé atá ar an long dhubh?'

Níor chorraigh Louise Bheag.

Shuigh Marie lena taobh agus bhain sí croitheadh as a gualainn. 'Céard leis a bhí tú ag súil? Go bplúchfadh sé le póga thú? Tá sibh tar éis briseadh isteach ina shaol mar fhoghlaí mara, an bheirt agaibh, mar a bheadh piléar i gcrann seoil....'

'Ón méid a dúirt an Fhéasóg Dhubh shílfeá

go raibh an-chion aige orainn!'

'Agus tá. Bíonn sé ag cuimhneamh go minic oraibh, ach is rud eile ar fad sibh a fheiceáil anseo. Agus é i bhfad óna chuid páistí airíonn an Captaen Roc uaidh iad, ach nuair a thagann sé orthu ní bhíonn a fhios aige céard a dhéanfaidh sé leo.'

'D'fhéadfadh sé labhairt linn, agus fiafraí dínn faoinár saol.'

'Tiocfaidh sé sin. Tabhair seans dó.'

D'éirigh Louise Bheag, agus lean Marie í chomh fada lena n-athair is a ndeartháir ag an ráille. Nocht an dealbh faoi chrann spreoide na loinge duibhe. D'fháisc Louise Bheag a lámh ar láimh a dheartháir.

'Sin í *Ordóg na Feirge*!'

'Is deacair dom a chreidiúint gur chuir an Fhéasóg Dhubh a long i mbaol le cabhrú linn,' a dúirt an Captaen Roc.

'Ní leis an bhFéasóg Dhubh *Ordóg na Feirge* níos mó,' a d'fhógair Marie.

'Mura leis, cé leis í?'

Tháinig tost ar an gcúpla agus ar a deirfiúr mhór. Chuimhnigh siad gur mharaigh na Maighigh an marquis de Parabas san Fhoraois Mhór agus é ag iarraidh ór na Péiste a ghoid. Bhí Benjamin ar tí insint dá athair gur ag máta Pharabas, Tá-agus-Níl, a bhí an long, nuair a chonaic siad cruth fir ar an deic dheiridh a bhain siar astu ar fad. Ina sheasamh in aice an phíolóta agus a hata mór leathan air … bhí Parabas!

'A dhiabhail!' a dúirt an buachaill. 'Níl sé marbh.'

'Ní chreidim é,' a dúirt Louise Bheag.

Bhí gach uile shúil ar Pharabas. Ba ansin a thosaigh a hata ag labhairt.

'Tá sé ina bháirrre fola! Dar adharrrca an diabhail, tá mo chuid cleití dearrrgtha suas!'

'Tá sé féin ann chomh maith,' a dúirt an Captaen Roc, agus é ag gáire.

'Tá Dún-do-Ghob tar éis teacht ar a mháistir arís,' a dúirt Louise Bheag. 'Chaithfeadh sé gur tháinig sé air sa chuan.'

'Hóra, an cúigear agaibh,' ar sé leis an dream a tháinig leis as an bpríosún, 'teastaíonn long uainn. Déanfaidh sí seo gnó!' Bhreathnaigh sé ar an gcúpla ansin. 'Tiocfaidh sibhse linn.'

Chuir sé lámh in airde sna scriútaí, caith sé a lámh eile thart timpeall ar chom an chailín, agus theilg sé tríd an aer anonn ar *Ordóg na Feirge* í. Léim na foghlaithe mara thar an tslat bhoird, agus duine acu i ngreim i mBenjamin.

Thug Parabas an comhartha dá chuid fear gan corraí, agus sheas sé roimh a sheanchaptaen. 'Tá áthas orm nach raibh an Diabhal bhur n-iarraidhse ach an oiread,' ar sé leis an gcúpla. Ansin chas sé i dtreo an Chaptaein Roc. 'Céard a dhéanfaidh tú agus gan agat ach cúigear mairnéalach?' Tá a cheithre oiread fear agamsa.'

'Ar an gcéad dul síos, tógfaidh mé ar ais an hata a ghoid tú uaim,' a deir an Captaen Roc agus an hata á sciobadh aige de chloigeann Pharabas.

'Rrrrrú!' arsa an phearóid agus i ag tuirlingt ar ghualainn Bhenjamin.

'Tá a áit féin aimsithe ag an bpearóid freisin,' a dúirt an Captaen Roc, agus a hata á bhrú anuas ar a cheann aige.

'Bhfuil tú a rá gur leat féin Dún-do-Ghob?' a scairt Louise Bheag amach.

'Go díreach é!'

'Cosúil leis an amhrán,' a dúirt Benjamin.

Theann foghlaithe mara Pharabas thart timpeall orthu. Bhí Buille Claímh agus Goll ag bagairt ar an gCaptaen Roc.

'Tá gunnaí an *Fantasque* lochtaithe,' a dúirt an Captaen Roc. 'Má leagann sibh méar orm tabharfaidh Marie an t-ordú agus cuirfidh sí poll i gcabhail na loinge seo.'

'Tá ár ngunnaí féin lochtaithe,' a dúirt Parabas.

'Tá an dá rogha againn mar sin,' a dúirt an Captaen Roc. 'Dul ag marú a chéile nó dul i muinín a chéile.'

'Níl uaim ach tú féin ar *Ordóg na Feirge*. Féadfaidh do chuid páistí a dhul ar ais chuig Marie Dhearg.'

Chuir an Captaen Roc a dhá láimh ar a chorróga. 'Léarscáil an órchiste atá uait. Tá an leath den léarscáil nach bhfuil agaibh uaibh go bhfaighidh sibh amach go cruinn cá bhfuil an t-órchiste folaithe,' ar sé. 'Tabhair laindéar anseo go bhfeicfidh sibh.' Bhain sé de a chóta agus a léine, agus thaispeáin sé a dhroim nocht dóibh, díreach agus Marie Dhearg

ag tuirlingt taobh thiar de ar an deic. 'Tá rud éigin le foghlaim agatsa freisin,' a dúirt sé léi.

Ardaíodh lampa agus taispeánadh an léarscáil tatúáilte ar a dhroim, ach ba dheacair í a dhéanamh amach. Bhí marcanna gránna ar a dhroim mar a dhéanfaí le hiarainn te.

'Cé a rinne é sin ort?' a d'fhiafraigh Louise Bheag.

'Ní hé an crochadóir ná an garda a rinne é,' a dúirt an Captaen Roc agus é ag breathnú idir an dá shúil ar Pharabas, 'ach mé féin. Rinne mé é sin chun daoine santacha a chur dá dtreoir!'

'Tá an t-órchiste caillte, mar sin,' a dúirt Goll. Dhírigh Buille Claímh a chlaíomh ar chliabhrach nocht an Chaptaein. 'Tá a chuimhne i gcónaí aige. Bainfimid an t-eolas as.'

Go sciobtha, rug an Captaen Roc greim láimhe air agus chaith sé anuas ar an deic é. Tarraingíodh piostail as criosanna.

'Go réidh. Seo é a mholaimse,' ar sé, agus é ag breathnú ar Pharabas. 'Tá tusa gann i gcriú, agus tá mo chriúsa ar fad beagnach caillte agam. Cuirimis le chéile ar *Ordóg na Feirge*. Tá gach uile dhuine ag teastáil uaimse le teacht ar ór na nInceach atá á thabhairt ag na Spáinnigh ó Cholóim go Cartagena. Fiú le dhá bhád, beidh obair mhór amach romhainn.'

Íslíodh na hairm.

'Ach dár ndóigh, is agamsa a bheidh ceannas na loinge!'

'Agus mise, cuirfidh tú sa pholl mé agus slabhra ar mo lámha is mo chosa!' Rug Parabas ar dhornchla a chlaímh.

'Maraíodh mo mháta ag iarraidh teacht as an bpríosún. Tógfaidh tú a áit.'

'Bí cúramach, a Dheaide,' arsa Louise Bheag. 'Ní athraíonn feallaire a chuid nósanna.'

Bhí tost ann, amhail is go raibh an long féin ag smaoineamh.

'Go Cartagena!' a bhéic an Captaen Roc.

'Go Cartagena!' a bhéic an criú in éineacht.

'Go Carrrtagena, in ainm Chrrroim!' a bhéic an phearóid.

Ina suí ag an gcrann spreoide in éindí lena n-athair, bhí an cúpla in ann an *Fantasque* a fheiceáil ag gluaiseacht ina ndiaidh.

'A leithéid de scéal eachtraíochta!' a dúirt an t-athair nuair a bhí a scéal inste acu dó. 'Is beag foghlaí mara a d'fheicfeadh a leithéid lena linn!'

'Níor thóg sé ach cúpla seachtain orainne!' a dúirt Benjamin go sásta.

'Céard a tharlóidh tar éis an ionsaí ar an ngaileon?' a d'fhiafraigh Louise Bheag.

'Is éard a thugann foghlaí mara slán ón éadóchas agus an drochmhisneach nach mbíonn aon smaoineamh aige níos faide chun cinn ná an chéad chreach eile!' a d'fhreagair an Captaen Roc. 'Bailíonn a bhformhór creach agus fios maith acu nach mairfidh siad sách fada le tairbhe a bhaint aisti.'

'Tá sé sin seafóideach.'

'Níl. Tugann sé a luach féin don am ina mhairimid.'

'Níl a fhios agam an bhfuil Parabas ar aon intinn leat,' a dúirt Benjamin. 'Déarfainn go bhfuil a fhios aigesean céard a dhéanfaidh sé lena chuid óir.'

'Marie chomh maith,' a dúirt Louise Bheag. 'Níl aon mhuinín agam aisti. Déanfaidh sí rud ar bith le teacht ar an ór.'

'Tá sé ina mhaidin,' a dúirt a n-athair. Bhí an ghrian ag éirí os cionn na farraige agus lá nua ag breacadh.

Thuig an cúpla uaidh sin nár mhian leis labhairt faoina iníon.

'Coinneoimidne súil ar an Marquis agus ar ár ndeirfiúr dhil,' a dúirt Louise Bheag de chogar i gcluas Bhenjamin. Bhuail sí sonc dá huillinn ar a hathair. 'Ghoid Parabas do hata agus do phearóid, ach cén fáth ar fhan Dún-do-Ghob in éindí leis? D'fhéadfadh sé eitilt agus éalú uaidh in am ar bith. Shílfeá go raibh faitíos air romhat — céard a tharla eadraibh?'

'Seanscéal, agus meirg air,' a dúirt an Captaen Roc. D'ardaigh sé a dhorn le go dtuirlingeodh Dún-do-Ghob uirthi. 'B'fhéidir go n-inseoidh mé duit é lá éigin....'

Ach ní raibh an t-éan sásta eitilt anuas as an tslat tosaigh.

'Dúnmharrrfóirrr! Cleiteadóirrr! Placairrre crrraosach!'

'Céard atá air siúd? An raibh tú ag iarraidh na cleití a bhaint de agus é a ithe?'

Rinne an Captaen Roc gáire mór croíúil, agus d'imigh sé chun cainte le Parabas.

'Ní thuigim cén fáth nár chaith Deaide síos sa pholl é,' a dúirt Louise Bheag.

'Tá sé aisteach. Nóiméad amháin bhí siad réidh le dul ag marú a chéile, nóiméad eile tá siad ag cabaireacht mar a bheadh seanchairde ann. Nár bhreá liom a chloisteáil céard atá á rá acu.'

'Tá a ndroim iompaithe linn,' a dúirt Louise Bheag. 'Teannaimid níos gaire dóibh.'

Rinne an cúpla a mbealach anuas le taobh na slaite boird, amhail is gur ag breathnú ar chluiche faoileán a bhí siad, ansin sheas siad cúpla coiscéim taobh thiar den bheirt fhear.

'Ní raibh súil ar bith agam leis an mbeirt sin a fheiceáil,' a dúirt an Captaen Roc. 'Tiocfaidh siad salach orainn.'

'Caithfear fáil réidh leo chomh luath agus is féidir,' a mhol Parabas.

'Caithfear. Tá plean beag agam....'

Go tobann, chonaic an Captaen Roc scáileanna na beirte ar an tslat bhoird. Rug sé greim ar uilleann Pharabas agus thug sé leis é.

Bhreathnaigh Louise Bheag agus Benjamin ar a chéile. 'Ní chreidim é,' a dúirt sí. 'Tá Deaide le feall a imirt orainn! Ach cén fáth?'

'Ní raibh sé ach ag ligean air féin go raibh sé sásta muid a fheiceáil.'

'Ní hé ár n-athair é! Ní fhéadfadh sé gurb é!' a dúirt Louise Bheag go ciúin. 'Tá sé féin agus Parabas ag scéiméireacht le chéile. Thug sé le fios gur naimhde iad, ach tá siad ag obair as lámha a chéile anois.'

'Chaithfeadh sé gurb é ár n-athair é,' a dúirt Benjamin. 'Tá leath na léarscáile ar a dhroim.'

'An bhfaca tú an léarscáil? Níl ann ach cúpla líne, sin an méid.'

'Ní thuigim féin é. Ní féidir linn muinín a chur i nduine ar bith acu — Marie, Parabas ... an Captaen Roc! Céard a tharlóidh dúinn?'

Chuir Louise Bheag strainc uirthi féin. 'Níl a

fhios acu gur chualamar iad. Ná ligimis dada orainn féin! Feicfimid céard a tharlóidh.'

'An gceapann tú go bhfágfaidh siad ar oileán tréigthe muid? Nó go gcaithfidh siad chuig na siorcanna muid?'

'Cuirimis scian, piostal agus claíomh i bhfolach. Geallaim duit nach ligfidh mise leo é!'

'Ná mise!' a deir Benjamin. 'Ach bhí oiread áthais orm go raibh athair agam faoi dheireadh. Mura páistí an Chaptaein Roc muid, cé leis muid? Agus cén fáth a bhfuil gach uile dhuine ag insint bréag dúinn?'

GLUAIS

slat bhoird: ráille thart timpeall ar long
máta: leascheannaire loinge
scriúta: rópa a cheanglaíonn crann seoil den long
slat seoil: cuaille cothrománach ceangailte den chrann seoil
dufair: foraois dhlúth theochriosach bháistí
rigín: rópaí na seolta
gránáid: buama beag a phléascann nuair a chaitear é
halbard: tua fhada a bhíonn ag saighdiúir
buaiceas: an téad a lastar sa choinneal
bairdéir: garda príosúin
aidhnin: an téad a lastar le gránáid nó buama a phléascadh
sponc, bosca spoinc: lastóir déanta as cloch thine
iomróir: duine a bhíonn ag iomramh nó ag rámhaíocht
bior, ar beara: feoil á róstadh ar an tine
múr: balla cosanta
cluiche faoileán: scata faoileán